Poisson Pilote

James

DANS MON OPEN SPACE

1- Business Circus

Couleur : Patrice Larcenet

Poisson Pilote

DARGAUD

PARIS • BARCELONE • BRUXELLES • LAUSANNE • LONDRES • MONTREAL • NEW YORK • STUTTGART

Merci à Pascale et à Boris.

www.dargaud.com

© DARGAUD 2008

PREMIÈRE ÉDITION

Tous droits de traduction, de reproduction et d'adaptation strictement réservés pour tous pays.

Dépôt légal: mai 2008 • ISBN 978-2205-05963-2

Printed in France by Jean-Lamour - A Qualibris Company

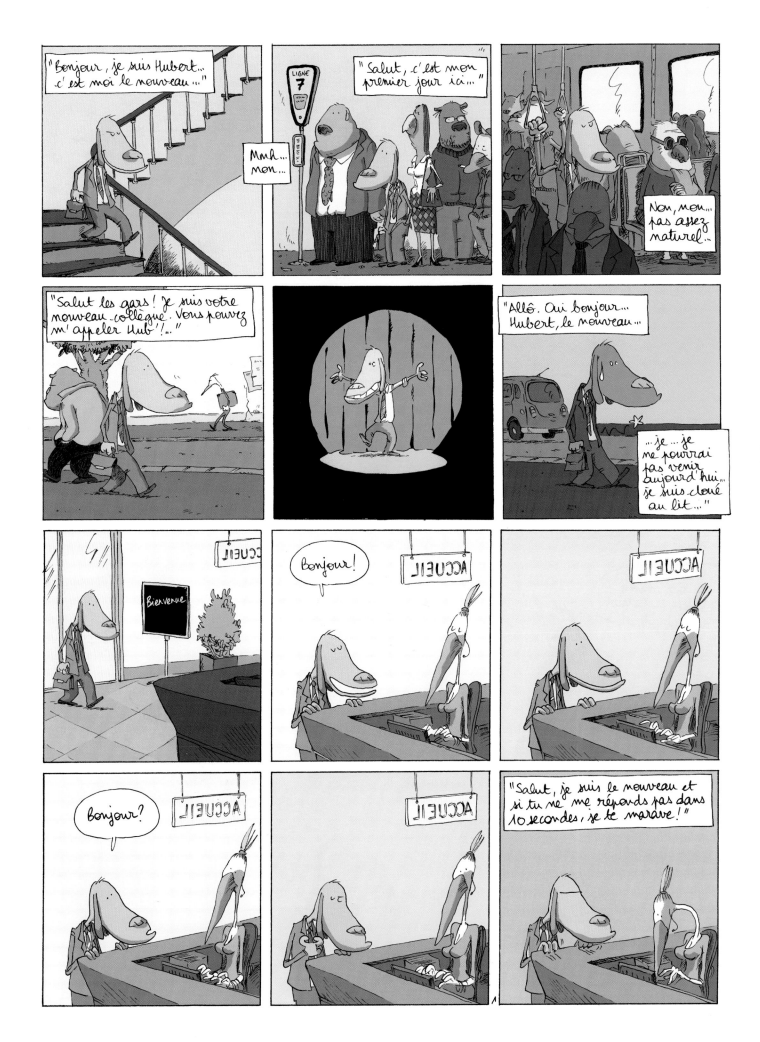

3

5

7

13

Derrière les apparences bon enfant...

... l'entreprise reste malgré tout un monde de requins...

... où la place de l'autre est bonne à prendre par tous les moyens...

Tous les coups sont permis...

Mais avant de jouer dans la cour des grands ...

... il est conseillé de faire ses armes progressivement.

?

Dis, c'est de l'acné que tu as là, ou bien?

Hein?

Quoi?

Où ça?

Level 1, completed.

James

15

17

23

24

27

31

38

45

47